UM CALDEIRÃO DE POEMAS

62 poemas traduzidos, adaptados ou escritos por

TATIANA BELINKY

e ilustrados por 25 artistas

Apresentação de

NELLY NOVAES COELHO

Fundação Nacional do Livro Infantil e Juvenil
FNLIJ
ALTAMENTE RECOMENDÁVEL

Companhia das Letrinhas

Grafia atualizada segundo o Acordo Ortográfico da Língua Portuguesa de 1990, que entrou em vigor no Brasil em 2009.

Capa
HELEN NAKAO

Preparação
PAULO WERNECK

Revisão
ANA MARIA BARBOSA
ISABEL JORGE CURY
ANGELA DAS NEVES

Ilustração das pp. 1 e 3
FLORENCE BRETON E LUANA GEIGER

Dados Internacionais de Catalogação na Publicação (CIP)
(Câmara Brasileira do Livro, SP, Brasil)

Belinky, Tatiana
Um caldeirão de poemas / 62 poemas traduzidos, adaptados ou escritos por Tatiana Belinky ; apresentação de Nelly Novaes Coelho. — 1ª ed. — São Paulo: Companhia das Letrinhas, 2003.

Vários ilustradores
ISBN 978-85-7406-162-7

1. Poesia - Coletâneas - Literatura infantojuvenil I. Coelho, Nelly Novaes. II. Título.

03-0332 CDD-028.5

Índices para catálogo sistemático:
1. Poesia : Literatura infantil 028.5
2. Poesia : Literatura infantojuvenil 028.5

30ª reimpressão

EDITORA SCHWARCZ S.A.
Rua Bandeira Paulista, 702, cj. 32
04532-002 — São Paulo — SP — Brasil
☎ (11) 3707-3500
www.companhiadasletrinhas.com.br
www.blogdaletrinhas.com.br
/companhiadasletrinhas
@companhiadasletrinhas
/CanalLetrinhaZ

Sumário

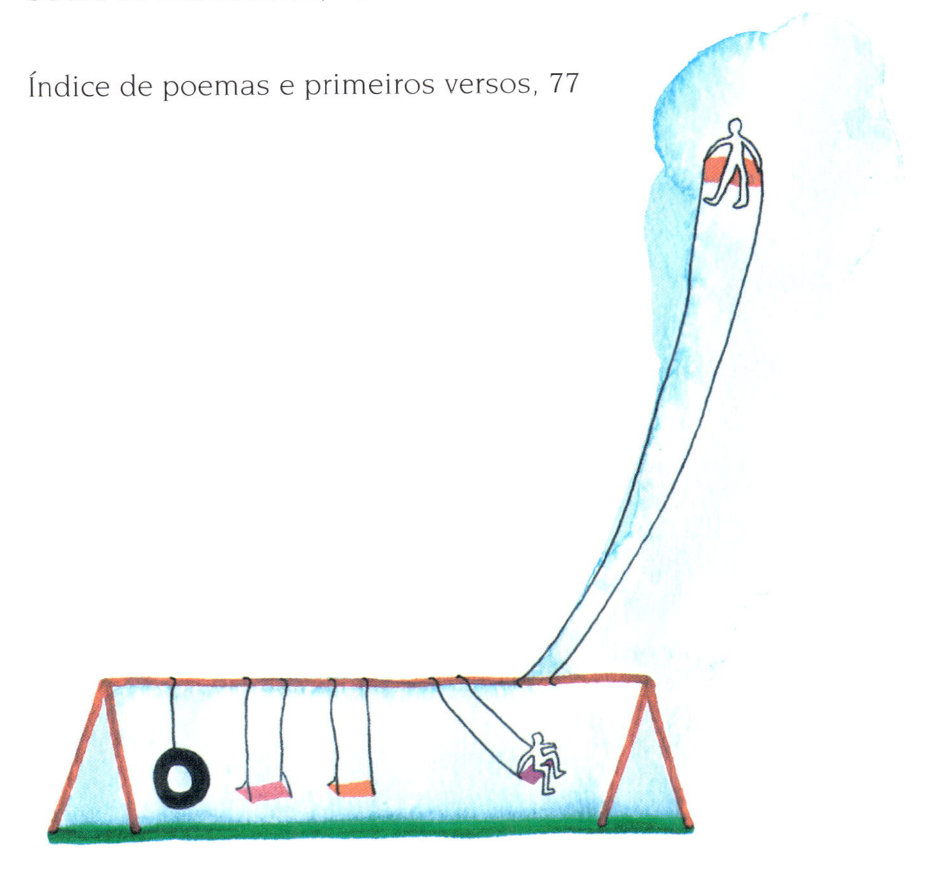

Apresentação

O mapa do tesouro de Tatiana

Caro leitor mirim,

Bem-vindo ao mundo da poesia que Tatiana Belinky oferece a você neste *Caldeirão de poemas*. Nele, a nossa querida escritora reuniu uma boa safra de textos poéticos, ora alegres, ora líricos, ora absurdos e divertidos, ora tristes... A maioria deles, muito antigos, pertencentes ao folclore de vários países; outros, escritos por grandes mestres da poesia universal e que Tatiana vem traduzindo, adaptando ou recriando, em mais de meio século de dedicação à literatura.

Ao entrar nesse mundo poético, você vai perceber que ele exige do leitor uma certa *convivência*: cada poema pede repetidas leituras para se revelar completamente. Poesia, muitas vezes, é como um quebra-cabeça ou um "mapa do tesouro": é preciso seguir atentamente os sinais ou "setas orientadoras" para chegar à riqueza escondida. Com a diferença de que, aqui, o "tesouro" está nas próprias "setas", isto é, no jogo de palavras, na linguagem poética.

O convívio com a poesia (que no início pode ser difícil, mas depois fica fácil) nos dá verdadeiras "lições de vida" e de sabedoria, através da brincadeira com as palavras. Se você ainda não descobriu o mundo da poesia, tem agora uma oportunidade: o "caldeirão" está à sua espera. Você já pensou como a palavra é importante para a comunicação entre nós, seres humanos? Note que sem o *mundo da linguagem* que nomeia o *mundo real* em que vivemos, não haveria possibilidade de nos entendermos uns com os outros, ou de comunicarmos o nosso pensamento ou emoções aos que nos cercam. Já pensou que tudo neste mundo tem nome? Pois é... Como seria a nossa vida sem as palavras? Na verdade, a poesia é uma das linguagens da vida. Descubra isso: os poemas estão aí adiante, à sua espera... Boa viagem!

Nelly Novaes Coelho

Sem medo do medo

Poema de Tatiana Belinky *Ilustração de Roger Mello*

De monstros, fantasmas,
Gosmentos miasmas,
E coisas que — bumba! —
Estourem assim;

Vampiros dentuços,
Viscosos e ruços,
Querendo assustar
A você e a mim;

Na noite escura
Não tenho paúra —
A coisa é bem
Diferente, isso sim!

Porque meu segredo
É nunca ter medo —
São eles que tremem
Com medo de mim!

Maluca é a rua!

Quadrinhas populares russas

Ilustração de Odilon Moraes

A rua passava
Correndo na mão.
Por trás do cachorro
Latiu o portão.
A rua assustada
Correu contramão.

Então o porteiro
Mordeu o portão.
— Porteiro maluco! —
Gritou o portão.
— Maluca é a rua! —
Relincha o cão.

Nunca vi uma charneca

Poema de Emily Dickinson *Ilustrações de Luana Geiger*

Nunca vi uma charneca
Também nunca vi o mar
Mas sei como são as urzes
Ondas posso imaginar

Eu jamais falei com Deus
Nem o céu fui visitar
Mas como quem tem roteiro
Estou certa do lugar

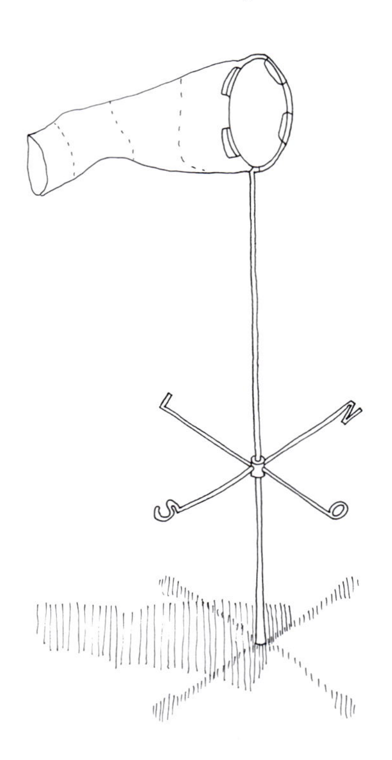

Navegar

Poema de Walt Whitman *Ilustração de CárcamO*

Ó, partir para o mar, navegar num navio!
Deixar este chão, terra firme, tediosa,
Deixar a enfadonha mesmice das ruas,
Das calçadas e casas,
Deixar-te, ó sólida terra, ó terra imóvel,
E embarcar num navio.
Navegar, navegar, navegar!

Ó, ser-me a vida agora um poema de júbilos novos!
E dançar, bater palmas, saltar, exultar,
E pular, e rolar, flutuar!
Ser marujo do mundo inteiro,
A caminho de todos os portos,
Ser o próprio navio — (vede as velas que eu iço
Ao sol e ao ar) —
Ser um ágil navio, enfunado, ligeiro,
Cheio de ricas palavras, de júbilos cheio!

Canção esquisita

Poema de Friedrich Wilhelm Goell *Ilustração de Graça Lima*

A cozinheira se agita
Em volta do fogão
E entoa uma esquisita
E cômica canção:
"O que eu vou cozinhar?
Como é que eu vou me arranjar
Neste triste estado,
Com tudo quebrado?

Peneira e tigela,
Caneca e panela,
Travessão e pilão,
Pau de macarrão?

E o que eu quero comprar,
Não sei como pagar:
Azeite e farinha,
Açúcar, toucinho,
Pimenta, agrião,
Batatas e pão,
E o queijo, tão raro,
Tudo hoje tão caro!
E nem vejo a cor do ordenado...
Hoje eu fujo — E está acabado!".

O senhor Ninguém

Poema anônimo traduzido do inglês *Ilustração de Humberto Guimarães*

Eu sei de um homenzinho
Quietinho e invisível
Que reina pela casa,
Faz tudo o que é horrível!
Eu nunca vi o seu rosto,
Mas sei, e tu também,
Se um prato é quebrado,
Foi ele, seu Ninguém!

Os nossos livros rasga,
Arranca os botões,
No chão derruba tinta
E água aos borbotões,
Marcas de dedos deixa
Nas portas. Sabes quem
Faz todos os estragos?
É ele, seu Ninguém!

Nós nunca esquecemos
A porta escancarada,
Nem espalhamos roupa
Na sala bagunçada!
Não somos nós, crianças,
Culpadas disso, nem
São nossas essas roupas!
São só do seu Ninguém!

Dois limeriques

Edward Lear

Ilustração de Ivan Zigg

Um magro rapaz em Bilbao
De tanto comer só mingau
Em vez de crescer
Só fez encolher
Até virar um catatau.

Um certo senhor de Pistoia
Costuma indagar: — Tudo joia?
Indaga também:
— Daí, tudo bem?
Metido senhor de Pistoia!

A última nuvem

Poema de Liêrmontov *Ilustração de Cris Burger*

Ó última nuvem do temporal findo
Navegas sozinha no céu todo lindo
Tu jogas sozinha uma sombra sombria
Sozinha entristeces o glorioso dia

Há pouco encobrias todo o firmamento
E raios lançavas do céu violento
Fazias rugir misterioso trovão
De chuva encharcavas o sequioso chão

E basta! Já chega, passou a tua hora,
Refrescou-se a terra, a borrasca foi embora,
E a brisa suave já beija a folhagem
E o vento te enxota — vai, segue viagem!

O sóbrio

Poema anônimo traduzido do inglês

Saí da taverna, de papo pro ar,
Mas senti o chão sob meus pés balançar...
O lado direito, o esquerdo, qual é?
Ó rua, estás bêbada, por minha fé!

Lua, que estranha imagem é a tua!
Olhas tão vesga para a minha rua...
Ó velha amiga, tu estás embriagada —
Isto não te fica bem, camarada!

E os lampiões, que visão deprimente!
Nenhum só está firme, ereto, decente!
Todos oscilam pra cá e pra lá —
Cada um deles bêbado qual um gambá!

Tudo balança, é a maior confusão!
Sóbrio só resto eu, meu irmão!
Graça não tem eu aqui bater perna:
Acho melhor eu voltar pra taverna.

Ilustração de Rodrigo Leão

Inho — Não!

Poema de Tatiana Belinky *Ilustração de Luiz Maia*

Andrezinho tem três anos
E já se acha bem grandão:
É por isso que não gosta
De diminutivo, e então
Não suporta que lhe digam
"Dê a mãozinha"— (em vez de mão),
Ou que mandem: "A boquinha
Abre e come, coração!".
"Inho", "inha", "ito", "ita",
São para ele humilhação,
O diminutivo o irrita:
O Andrezim prefere um "ão"!
Chama "gala" a galinha,
Não aceita correção;
"Escrivana", a escrivaninha,
E o vizinho é "vizão";
Chama "coza" a cozinha,
O toucinho é "toução",
É "campana" a campainha —
E ele próprio é o "Dezão"...

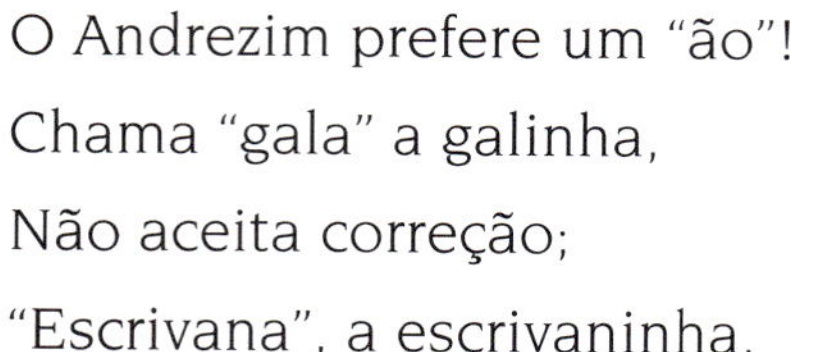

Problema

Poema anônimo traduzido do inglês *Ilustração de Spacca*

Dona Centopeia passeia feliz,
Até que dom Sapo, maroto, lhe diz:
"Responde na hora, assim, de repente:
Qual perna colocas atrás, qual na frente?".
E isto a deixou perturbada assaz.
A pobre, abalada, caiu pra trás,
Rolou na sarjeta, e lá jaz, sem saber
Que perna primeiro usar pra correr.

Os gatos de Buava

Poema anônimo traduzido do inglês *Ilustração de Cecilia Esteves*

Havia dois gatos em Buava
Que achavam que um deles sobrava.
Então se atracaram
De rabo empinado
E se engalfinharam
De pelo eriçado
E, por não deixarem barato,
De dois, não sobrou nenhum gato.

Rosinha do prado

Poema de Goethe

Ilustração de Myrna Maracajá

Uma rosa um menino viu,
Rosinha do prado,
Linda, fresca, primaveril,
Quis de perto a olhar e a viu
Tão feliz e encantado —
Rosa rubra, rosinha, ai,
Rosinha do prado.

Ele diz: "Eu vou te arrancar,
Rosinha do prado!".
Rosa diz: "Eu vou te picar,
Pra de mim te fazer lembrar:
Não suporto este fado!".
Rosa rubra, rosinha, ai,
Rosinha do prado.

Impetuoso, ele a arrancou.
Rosinha do prado,
A defender-se, ela o picou,
Nenhum ai aqui lhe adiantou,
Suportou-o calado.
Rosa rubra, rosinha, ai,
Rosinha do prado.

O duende

Poema de Werner Bergengruen

Ilustrações de Adriana Alves

Construí a minha casa —
Porão, sótão e fachada —
Quem instalou um duende
Lá, debaixo da escada?

Ele bebe do meu vinho,
Come do meu bom toucinho,
Meu açúcar põe no saco,
Fuma do meu bom tabaco;
Na despensa, o brincalhão
Faz minguar a provisão.

E cadê a tinta minha?
À noite, ele, com mão leve,
Remexe na escrivaninha —
Para quem será que escreve?

E o que me dá ele em troca?
Meu violão de noite toca,
Cuida pra que a criançada
Não despenque da escada,

E, como agradecimento,
Dá na lua um polimento
Para que, lustrosa, ela
Brilhe na minha janela.

Cheiros

Poema de Christopher Morley *Ilustração de Ciça Fittipaldi*

Qual será o motivo, de fato,
Por que poetas não falam do olfato?
Eu amo os cheiros — cheiro de mato,

De café fresco, de doce e pudim
Cebolas fritas, tostadas assim —
Cheiros de boas comidas, enfim...

E de um cachimbo a fumaça cheirosa,
E do perfume do cravo e da rosa,
De uma fogueira a fragrância olorosa;

Do cheiro bom de tinta de impressão,
De maresia na arrebentação,
Cheiro gostoso de chuva no chão;

Odor de menta, de cânfora e chá,
Perfume duma árvore de Natal,
São bons! Mas pra mim, eu vou confessar:
Cheiro é de navio: melhor não há!

Bicholiques

Poema de Tatiana Belinky *Ilustração de Humberto Guimarães*

"O urso é um bicho malvado!",
Disse o caçador, injuriado.
Não levem a mal,
Mas este animal
DEFENDE-SE, quando atacado!

Um bom garnisé, o Gazalo,
Na corda vocal teve um calo.
Um galo sem voz?
Que coisa atroz!
Azar! Virou canja de galo...

A vaca amarela, aquela,
Pulou a cancela e a janela,
Porém se estrepou:
Um rato a enxotou
Com um pontapé na canela.

A Lorelei

Poema de Heine

Ilustrações de Geraldo Valério

Não sei o que significa
Eu, ai, tão triste estar:
Lenda dos tempos antigos
Não sai do meu pensar.

O ar está frio, escurece,
E o calmo Reno flui,
O cume do monte esplandece
À luz do crepúsculo azul —

A mais formosa das virgens
No alto, no seu lugar,
Fica, as gotas faiscando,
Cabelos de ouro a pentear.

Penteia-os com pente de ouro
E canta uma canção
Que tem uma melodia
De misteriosa atração.

O barqueiro em sua canoa
É presa no louco ansiar,
Ele não olha os recifes,
Só pro alto pode olhar.

Creio que as ondas tragaram
Barco e barqueiro, afinal —
E foi Lorelei quem fez isso
Com o seu canto fatal.

Cantiga famélica

Poema de Tatiana Belinky
inspirado em K. Tchukovski

Ilustrações de Mariana Massarani

Na rua andava à toa
Enorme jacaroa —
Aquela tal
Fugiu do Pantanal

Andava muito alerta,
Com a bocarra aberta —
Estava a tal
Com fome colossal

Cruzou com um capitão,
Mordeu-lhe o dedão —
Estava a tal
Com fome colossal

Cruzou com um mendigo,
Mordeu-o no umbigo —
Estava a tal
Com fome colossal

Cruzou com um ordenança,
E lhe mordeu a pança —
Estava a tal
Com fome colossal

Cruzou com um magricela,
Mordeu-lhe a canela —
Estava a tal
Com fome colossal

Cruzou com uma menina,
Mordeu-lhe a perna fina —
Estava a tal
Com fome colossal

Cruzou com um petiz,
Mordeu-o no nariz —
Estava a tal
Com fome colossal

Cruzou com uma velha,
Mordeu-lhe a orelha —
Estava a tal
Com fome colossal

Cruzou com um ricaço,
Mordeu-lhe o gordo braço —
Estava a tal
Com fome colossal

Cruzou com Zé Macaco,
Mordeu-lhe o sovaco —
Estava a tal
Com fome colossal

Cruzou com um fedelho,
Mordeu-o no joelho —
Estava a tal
Com fome colossal

Da bruxa Cunegunda,
Abocanhou-lhe a bunda —
Estava a tal
Com fome colossal

Então topou com o Diabo,
Papou-o pelo rabo!
Matou afinal
A fome colossal

E a enorme jacaroa
Agora ri à toa —
Sem fome, a tal
Voltou pro Pantanal!

Eu ia trabalhar...

Poema de Richard Le Gallienne — *Ilustração de Geraldo Valério*

Eu ia fazer meu trabalho, hoje cedo,
Mas um passarinho cantou no arvoredo,
E as borboletas no campo esvoaçavam,
E as verdes folhagens todas me acenavam

E a brisa soprava suave no prado,
Balançando a relva, prum lado e outro lado,
E o lindo arco-íris a mão me estendeu:
Como resistir-lhes? Sorri — e lá fui eu!

O homem e a mosca

Poema de William Oldys *Ilustração de Spacca*

Mosca curiosa, tão agitadinha,
Mata a tua sede na xícara minha,
Bebe comigo, e bebe à vontade,
És convidada bem-vinda, é verdade!
Breve é a vida, aproveita agora,
Antes que o tempo logo a leve embora. —

As nossas vidas, ambas por igual,
Correm ligeiro pra hora final.
Tua vidinha dura só um verão.
A minha três vezes vinte. E então?
Esses sessenta, depois de passar,
Breves como um só verão vão ficar...

Quadrinhas populares inglesas

Ilustração de Luli

1

Diz, Cachos Dourados, tu queres ser minha?
Não lavarás louça, quintal ou cozinha.
Sobre uma almofada, com o teu bordado,
Comerás morangos com creme e melado.

2

Um homem na selva veio me perguntar:
"Diz, quantos morangos florescem no mar?".
Eu lhe respondi o que acho de fato:
"Tantos quantas sardinhas brotam no mato".

Berceuse

Acalanto popular alemão

Ilustração de Marcelo Gomes

Sabes quantas estrelinhas
Brilham lá no azul do céu?
Sabes quantas nuvenzinhas
Passam flutuando ao léu?
Deus contou-as, uma a uma,
Pra não lhe faltar nenhuma.

Sabes quantas criancinhas
Vão à noite se deitar,
Pra felizes e alegrinhas
De manhã se levantar?
Deus conhece-as todas bem,
Ama-as muito, e a ti também.

Que medo!

Poema popular inglês *Ilustração de Beneson*

Ontem no vão da escada eu vi
Um monstro que não estava ali!
Hoje outra vez ele não está!
Eu quero só que ele se vá!

Que delícia!

Poema de Tatiana Belinky *Ilustrações de Maria Eugênia*

Comida gostosa,
Ai que coisa louca,
Que só de pensar
Me dá água na boca!

Eu gosto de tudo
O que pode dar
"Aquela" alegria
Ao meu paladar!

Comida honesta,
Singela e até meiga —
Quem é que resiste
A um pão com manteiga?!

Onívoro eu sou
Eu gosto de tudo
E pouco me importo
Em ser rechonchudo!

Das tetas da vaca,
Eu tomo o leite
Tirado na hora
É puro deleite!

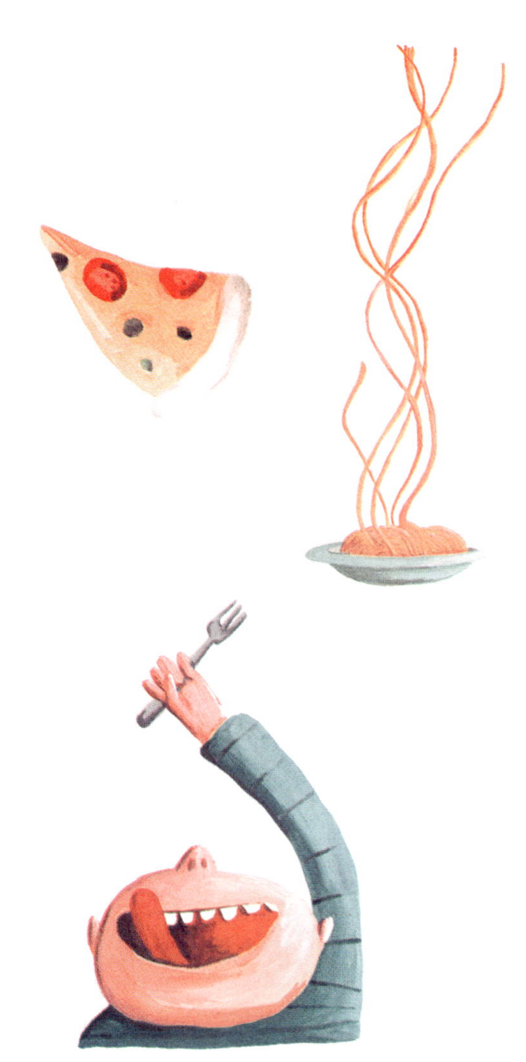

O milho na espiga,
Ou mesmo em pamonha,
Com coisas assim
A gente até sonha!

A jabuticaba
Colhida no pé,
Pretinha, lustrosa —
Que festa ela é!

E o rei chocolate,
Em barra ou bombom —
Quem não o conhece
Não sabe o que é bom!

Também me cai bem
A rica linguiça,
Fritinha e tostada,
Cheirosa e roliça!

E a pizza então —
Muita muçarela —
Tão apetitosa,
Tão... tão amarela!

Batata assada,
Com manteiga e sal
Derrete na boca —
Prazer sem igual!

O meu paladar
Fica espicaçado —
Gente, como é bom
Um franguinho assado!

Só de pensar nele
A língua eu estalo —
Gostoso demais
É um bife a cavalo!

Domingo cai bem
A macarronada,
No sábado — humm!
Lá vai feijoada!

E tortas, panquecas,
Sorvete e pudim,
E balas e bolos,
Delícias sem fim!

E mais maravilhas,
Mais mil gostosuras
De frutas, legumes
(E até de verduras...)

Com tanto de bom
Pra ser saboreado,
Como é que alguém
Se faz de enfastiado?

Comer é legal!
Demais! É glorioso!
(Não sei por que alguns
Me chamam guloso!...)

Se a dor de barriga
Me pega de jeito —
É o preço que eu pago:
Ai! Nada é perfeito...

Pirata

Poema de Goethe *Ilustrações de Graça Lima*

Minha casa não tem porta,
Minha porta não tem casa,
Mas eu entro e também saio
Com a minha namorada.

A cozinha não tem forno,
O forno não tem cozinha,
Mas cozinho, frito e asso
Para ela e para mim.

Meu leito não tem estrado,
Meu estrado não tem leito,
Mas ninguém eu conheço
Mais alegre e satisfeito.

Minha adega, ela é alta,
Meu celeiro, ele é fundo,
Tanto em cima quanto embaixo
Lá vou eu, me deito e durmo.

E então, quando eu acordo,
Assim é, e vai ficar:
Meu lugar não tem "ficança",
Meu ficar não tem lugar.

Três limeriques

Edward Lear

Ilustrações de Openthedoor

Um homem na aldeia de Meja
Com sede, pediu uma cerveja
A qual veio quente
E então de repente
O homem fugiu para a igreja

Havia um sujeito em Bermude
Que ia ficando tão rude
Que a turma enfezada
De uma tacada
Calou-o e jogou-o no açude

Um velho da aldeia de Turso
Montou na garupa de um urso.
À pergunta "ele trota?",
Respondeu: "É lorota!
Ele é um urso que só faz discurso!".

O crocodilo

Poema de Lewis Carroll *Ilustração de Laurabeatriz*

Como o mimoso crocodilo
Do rabo enfeita o couro,
E espirra água do rio Nilo
Nessas escamas de ouro!

E como alegre ele sorri,
Gracioso, mostra os dentes,
E abre as garras, e gentil,
Convida os peixes: — Entrem!

Balde furado *ou* Quem é que é tonto?*

Poema popular alemão

Ilustrações de Ciça Fittipaldi

— O meu balde está furado —
Que que eu faço, nhô marido?

— Tapa o furo, ó muié tonta,
Tapa o furo, ó muié!

— Com o que que eu tapo o furo
Do meu balde, nhô marido?

— Com o barro, ó muié tonta
Com o barro, ó muié!

— E se o barro estiver seco,
Que que eu faço, nhô marido?

— Molha o barro, ó muié tonta,
Molha o barro, ó muié!

— Com o que que eu molho o barro,
O barro seco, nhô marido?

— É com água, ó muié tonta,
É com água, ó muié!

* *Esta brincadeira pode ser cantada com uma musiquinha qualquer.*

— E como é que eu trago a água,
Trago a água, nhô marido?

— Com o balde, ó muié tonta,
Com o balde, ó muié!

— Mas se o balde está furado,
Que que eu faço, nhô marido?

— Tapa o furo, ó muié tonta,
Tapa o furo, ó muié!

E começa tudo de novo...

Mais bicholiques

Limeriques de Tatiana Belinky *Ilustração de Miadaira*

Um pato e seu primo, o rato,
Viviam que nem cão e gato.
Um deles, então,
Num dia de cão,
Do outro fez gato e sapato.

A vaca que botou um ovo
Deu grande alegria ao povo
Mas certo petiz
Torceu o nariz
Dizendo: — Isto não é novo!

Uns asnos fugindo da feira
Fizeram-se ao mar na peneira
A barca redonda
Dançava na onda
Com os asnos sem eira nem beira

O passarinho

Poema de Pushkin

Ilustração de Myrna Maracajá

No exílio sempre observo fielmente
Costume antigo da pátria distante:
Abro a gaiola para um passarinho
Voar, na primavera exuberante.

Agora eu já aceito o consolo,
Não mais murmuro contra Deus, verdade!
Pra quê? Se ao menos a uma criatura
Eu pude dar o dom da liberdade!

Boa ideia

Poema de Tatiana Belinky *Ilustração de Adriana Alves*

Xandoca, que chamam boboca,
No chão viu esperta minhoca.

— Que bom que saíste da toca!
Vem cá, vem, come esta pipoca!

Mas cadê tua boca, minhoca? —
Pergunta intrigado o Xandoca:

— Não sei de que lado é a tua boca!
Será que sou mesmo boboca?

Mas tive uma ideia, minhoca:
Te corto no meio, bichoca,

Pra ver qual metade desloca,
Rebola e papa a pipoca!

Pegou a tesoura o Xandoca —
Mas louca não foi a minhoca:

Minhoca enfiou-se na toca —
Tchau mesmo, Xandoca-boboca!

Eletelefonia

Poema de Laura Richards *Ilustração de CárcamO*

Era uma vez um elefante
Que quis usar um telefante —
Digo, aliás, um elefone,
Que quis usar um telefone
(Parece que me atrapalhei.
Será que agora eu me acertei?)

Em todo caso, a sua tromba
Se enroscou na telefomba;
E quanto mais ele puxava,
Mais o elefone telefava...
(Acho melhor eu desistir
De telefonelefantir!)

O guarda-chuva

Poema de Oliver Herford *Ilustrações de Florence Breton*

Fugindo da chuva, um elfinho mui belo
Tentou esconder-se sob um cogumelo.

Mas lá já estava, encolhido, dormindo,
Um rato-do-campo, sem nada de lindo.

O elfo, de medo, tremeu assustado,
Porém não queria ficar encharcado.

E ficava bem longe o abrigo vizinho...
Mas teve uma ideia o nosso elfozinho;

O tal cogumelo ele então sacudiu,
Até que seu caule em dois se partiu.

Depois, segurando o seu cogumelo,
O elfo voou, sem molhar um cabelo;

Contente e tranquilo, voou para casa,
Chegou bem sequinho, de asa até asa.

O rato-do-campo acordou alarmado:
"Cadê o cogumelo? Estou encharcado!".

Um elfo sequinho e um rato molhado:
Eis que o guarda-chuva estava inventado!

Sururu no galinheiro

Poema de Tuwim *Ilustrações de Laurabeatriz*

Disse a pata à galinha
— Todos dizem que, vizinha,
Porque botas pouco ovo
Serás frita no ano-novo!
— Parasita! Fofoqueira! —
Cacareja a poedeira
— Ganso diz que nem és pata,
Que tens sangue de barata,
Que teu pato é um bocó,
Grasna o tempo todo, e é só!
Chia a pata, indignada:
— Ganso é que não vale nada!
Que maneira atrevida
De falar da minha vida!
É por isso que amanhã,
Recheado de maçã,
Para a mesa ele vai
Sem poder soltar um ai!
E o pato, na lagoa,
Grasna: — Mas que ganso à toa!
Eu te pego, espera só!
Ri-se o ganso: — Go-go-go!
— Que baderna, glu-glu-glu! —
Irritou-se o peru
— Que conduta de moleque! —

E abriu a cauda em leque,
Os patinhos espalhou
E a galinha escorraçou,
Glu-glu-glu! Que correria!
Ao ouvir a gritaria,
Acudiu furioso o galo —
Ninguém pôde segurá-lo!
Deu na pata seis bicadas,
E no ganso, esporadas,
Enfrentou mesmo o peru —
Foi aquele sururu!
Cocoricó! Glu-glu! — Bicadas,
Voam penas arrancadas,
Gritam frangos depenados,
Piam pintos assustados,
A perua ficou rouca —
Era uma bagunça louca
De estridentes cacarejos,
De furiosos grugrulejos,
De chiados e grasnidos...
Entre mortos e feridos,
Todos salvos afinal!
Mas no pátio e no quintal,
E em todo o galinheiro,
Pelo resto do ano inteiro
Essa briga singular
Muito deu o que falar!

Pequena canção

Poema de Heine

Ilustração de Cecilia Esteves

Quando eu me miro em teu olhar
Desaparece o meu penar
Mas quando beijo a tua boca
Volta-me uma saúde louca.

Quando em teu peito eu me reclino
Invade-me um prazer divino,
Mas quando dizes "eu te amo",
Então em pranto amargo eu clamo.

A vela

Poema de Liêrmontov *Ilustração de Odilon Moraes*

Cintila solitária vela
Na névoa do céu de anil.
O que tão longe busca ela?
O que deixou atrás de si?

O vento silva, a onda é brusca,
O mastro verga-se a ringir.
Ventura, ai, ela não busca,
Nem da ventura quer fugir.

A linfa abaixo é clara e lenta,
No alto, o sol é luz fugaz —
Mas a rebelde quer tormenta:
Ai, na tormenta busca a paz.

O acompanhante

Poema anônimo traduzido do inglês *Ilustração de Marcelo Gomes*

Ele disse:

— Aonde vais, ó moça bonita?

— As vacas eu vou ordenhar.

— Posso ir contigo, moça bonita?

— Muito grata por me acompanhar.

— O que faz o teu pai, ó moça bonita?

— Meu pai, ele é agricultor.

— E qual é a tua fortuna, ó moça bonita?

— É somente o meu rosto, senhor.

— Então não posso casar-me contigo!

— Ninguém lhe pediu, meu senhor!

Hora de falar

Poema de Lewis Carroll *Ilustração de Rodrigo Leão*

Chegou a hora de falar,
Disse Dom Caranguejo,
Das coisas: popa, papo, pão,
Borbulha, barba, beijo,
E por que ferve a água do mar,
E por que voa o queijo.

Outros bicholiques

de Edward Lear [1]
e Tatiana Belinky [2 e 3]

Ilustração de Mariana Massarani

No galho da árvore, um bode
Torcia o frondoso bigode,
Mas os passarinhos
Fizeram seus ninhos
Nos pelos daquele bigode.

Mamute falou pro Papute:
— Vai lá, bronquear o Filhute,
Que está no quintal,
No vento glacial,
Chupando chuchu com chucrute!

Urraca, a macaca velhaca,
Raivosa que nem jararaca
Sentou no urucum
Tingiu o bumbum
Berrando: — Mas que urucubaca!

O balanço

Poema de Robert Louis Stevenson *Ilustração de Miadaira*

— Diz, o que achas tu de subir pelo ar
Num balanço, ao encontro do céu?
— Não há nada mais lindo, melhor que voar,
Indo e vindo no azul, acho eu!

Alçar voo por cima do muro sisudo
Até ao longe enxergar, espalhados,
Rios, árvores, casas, e gado, e tudo,
Por colinas e campos e prados!

E olhar para baixo, pro verde jardim,
Pro telhado — numa embriaguez —
Para o alto voltar, nesse voo sem fim,
Pelo ar, outra vez e outra vez!

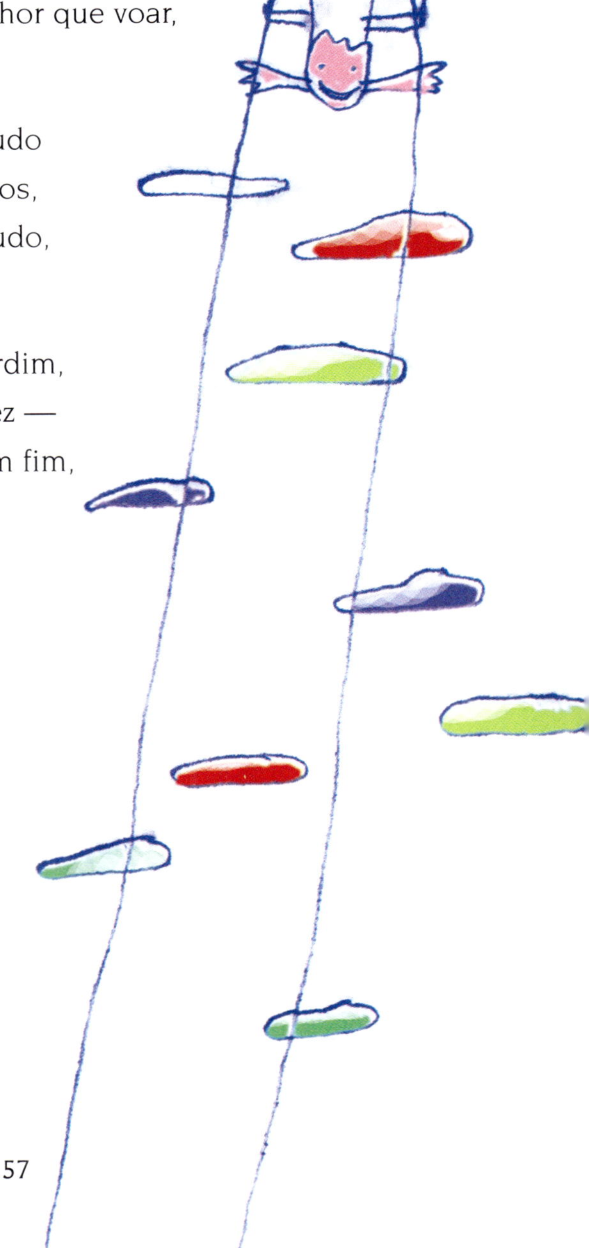

História do bebum

Poema anônimo traduzido do inglês *Ilustração de Openthedoor*

Vagava eu, bêbado e contente,
Na rua, quando de repente
Vi a coisa preta,
Rolei na sarjeta —
E um porco deitou-se ao meu lado,
Tranquilo e acomodado.
Fiquei lá, caído,
Tonto e dolorido.
Eis quando, naquela hora,
Passou por ali uma senhora
De cara orgulhosa,
E falou, desdenhosa:
"Conhece-se um tipo imundo
Por sua companhia no mundo!".
Ouvindo isso, o porco,
Que estava de borco,
Ergueu-se e zás! — Foi-se embora.

A pequena Bo-Pip

Poema anônimo traduzido do inglês *Ilustração de Geraldo Valério*

A pequena Bo-Pip perdeu seus cordeirinhos
Não sabe como vai reavê-los
— Deixe-os pra lá, eles vão voltar
Com atrás deles todos os rabinhos.

A pequena Bo-Pip adormeceu
E sonhou que ouviu seus balidos,
Mas quando acordou, viu que se enganou —
Todos continuavam sumidos.

A Bo-Pip então pegou seu bastão,
Decidiu achar seus carneirinhos.
Ela os encontrou, mas aí chorou,
Pois deixaram atrás seus rabinhos.

Velholiques

Limeriques de Edward Lear *Ilustrações de Beneson*

Um velho barbudo dizia:
— A coisa é tal qual eu queria:
Doze passarinhos
Fizeram seus ninhos
Na barba pra minha alegria.

Um velho, quando era filhote,
Caiu distraído num pote —
Cresceu, engordou,
E ali encalhou:
E ficou vivendo no pote.

Um certo velhote de Borden,
Que vive na maior desordem,
Dança com o gato,
Põe chá no sapato,
E assusta o povinho de Borden.

Um velhote falou: — Ai, que susto!
Vejo um pássaro nesse arbusto!
— Ele é pequenino?
Qual o quê, menino!
Ele é bem maior que o arbusto!

Que eu te amo, sabes bem

Poema de Heine

Ilustração de Luli

Que eu te amo, sabes bem,
Totó, meu amigão,
Quando te faço um agrado,
Lambes minha mão.

Só queres ser cachorrinho,
Um cão entre animais,
Outros amigos e vizinhos
Fingem ser muito mais.

A nuvenzinha

Poema de Liêrmontov *Ilustração de Cris Burger*

Pernoitou a nuvenzinha breve
Sobre o peito duro do rochedo.
De manhã ela partiu bem cedo
Pelo azul do céu, brincando, leve.

Úmida porém ficou a marca
Numa ruga do gigante frio —
Lá está ele — velho patriarca —
A chorar baixinho no vazio.

Loucoliques

Limeriques de Tatiana Belinky

Ilustração de Luiz Maia

A grua rangeu pro guindaste:
— Seu traste, por que tu paraste?
Guindaste guinchou:
— Minha haste enguiçou!
Benzinho, por que te enfezaste?

No alto de um poste, um velho
Mirava-se atento no espelho
O neto o viu
E o velho fugiu
Correndo que nem um fedelho.

Os pintinhos

Poema anônimo traduzido do inglês *Ilustração de Roger Mello*

O primeiro pintinho
Piou com água na boca:
Eu queria encontrar
Uma gorda minhoca!

O segundo piou
Com careta enjoadinha:
Eu queria encontrar
Uma lesma fofinha!

O terceiro piou
Com trejeito trombudo:
Eu queria achar
Um bom verme polpudo!

E o quarto piou
Com a voz bem fininha
Eu queria encontrar
Uma verde folhinha!

E o quinto pintinho
Piou, de afogadilho:
Eu queria encontrar
Um ou dois grãos de milho!

Então disse a galinha,
Sua mãe, a ralhar:
Se quiserem comer
Venham todos CISCAR

Canção das ameixas

Poema de Brecht

Ilustração de Ivan Zigg

Foi quando amadureceram
As ameixas — veio então
À aldeia, de carroça,
Um garboso rapagão.

Nós colhíamos ameixas,
E na grama ele deitou,
Barba loura, e espichado
Coisa e outra ele observou.

As ameixas já cozidas,
Lá conosco ele brincou,
E sorrindo, nas vasilhas,
O seu dedo ele enfiou.

A geleia de ameixas
Nós comíamos. E então,
Foi-se embora. Mas lembramos
Sempre o belo rapagão.

Sobre os poetas

TATIANA BELINKY [1919] "Não sou poeta, sou uma 'trança-rimas'" — é assim que Tatiana Belinky se define quando alguém lhe pergunta sobre seus poemas. Na verdade, várias palavras são necessárias para explicar suas atividades em décadas de dedicação à literatura e à cultura: poeta, tradutora, dramaturga e pioneira da televisão no Brasil, Tatiana consagrou-se principalmente por sua obra para crianças.

Ela nasceu em São Petersburgo, na Rússia, e mudou-se para Riga, capital da Letônia, aos dois anos de idade. Aos dez anos, migrou com a família para São Paulo, cidade que escolheu para viver pelo resto da vida. Começou a fazer teatro ainda no colégio, onde integrava o "grêmio cultural" Clube Popeye. Em 1940, casou-se com o médico e educador Júlio Gouveia, com quem teve dois filhos. Tatiana e Júlio gostavam de trabalhar juntos, e foi assim que nos anos 1950 criaram a primeira versão para a televisão do *Sítio do Pica-Pau Amarelo*, de Monteiro Lobato, num tempo em que os programas eram todos ao vivo e nada podia sair errado. Os dois também trabalharam no teleteatro, fazendo adaptações de obras clássicas na antiga TV Tupi.

O primeiro livro infantil de Tatiana é *A operação do tio Onofre* (Ática, 1985). Desde então, ela não parou de escrever: sua obra inclui mais de cem títulos e já mereceu inúmeros prêmios e homenagens. Alguns de seus livros, como *Sete contos russos*, *Raineke-Raposo* e *A saga de Siegfried — O tesouro dos nibelungos* (todos esses pela Companhia das Letrinhas), são traduções ou adaptações de clássicos da literatura universal. Outros, como *Transplante de menina* (Agir, 1989), contam um pouco da sua própria vida, sempre de um jeito divertido e saboroso.

A obra de Tatiana, recheada de humor e delicadeza, mostra que a literatura, antes de mais nada, é um grande prazer que deve ser compartilhado. Foi para isso que ela preparou este *Caldeirão de poemas*. Como ela diz, "Caldeirão é coisa de bruxa, e eu sou uma bruxa. Misturei esses poemas todos e acho que deu uma poção interessante".

BERTOLT BRECHT |1898-1956| Poeta, dramaturgo e diretor teatral nascido em Augsburgo, na Alemanha. Sua obra lhe trouxe sucesso e provocou muita polêmica. Em 1922, recebeu o Prêmio Kleist. Ficou famoso por seu teatro épico e exerceu grande influência como figura maior no teatro do século XX. Teve de se exilar durante o hitlerismo.

CHRISTOPHER MORLEY |1890-1957| Romancista e ensaísta, nascido na Pensilvânia, nos Estados Unidos. Trabalhou como editor e fez muitas colaborações literárias populares para vários periódicos, como os importantes *New York Evening Post* e *Saturday Review of Literature*. Morley foi também um poeta bastante conhecido.

EDWARD LEAR |1812-88| Famoso "poeta do nonsense", do disparate engraçado. Era muito reputado como artista plástico e chegou a dar aulas de desenho à rainha Vitória, mas é lembrado principalmente por seus poemetos *limericks*, limeriques, que ele produziu em grande quantidade durante a vida inteira.

EMILY DICKINSON |1830-86| Conhecida como poeta lírica da Nova Inglaterra, Estados Unidos, a autora levou uma vida quieta, sem publicar nenhum livro. No entanto, depois de sua morte, seus cerca de 1800 poemas breves e delicados tornaram-na conhecida mundialmente como uma das maiores representantes da poesia americana do século XIX.

FRIEDRICH WILHELM GOELL |1812-79| Escritor e poeta alemão do século XIX, que se notabilizou por seu senso de humor.

Johann Wolfgang von GOETHE |1749-1832| Poeta, escritor, romancista, dramaturgo e cientista, nascido em Frankfurt, Goethe é considerado o gênio do século na sua Alemanha. Autor de grande obra poética, celebrizou-se no mundo inteiro por, entre outras, a obra-prima *Faust*, o famoso "*Fausto* de Goethe".

Heinrich HEINE |1797-1856| Poeta e ensaísta alemão, nascido em Düsseldorf, filho de abastada família judaica, Heine se converteu ao cristianismo para assegurar o direito à cidadania alemã. Mesmo assim, teve de se exilar na França, onde se voltou para a política. Mas foi imortalizado por sua poesia lírica, com o seu *Livro das canções*, "Lieder", e outros maravilhosos poemas que fizeram dele um dos mais amados poetas da língua alemã.

Ivan Andrêievitch KRYLOV [1768-1844] Grande fabulista russo, autor de mais de duzentas fábulas, diversas adaptadas de Esopo e La Fontaine, mas a maioria de origem russa. Moralista que foi, usava linguagem popular para satirizar tanto fraquezas humanas como costumes sociais e acontecimentos políticos. Krylov morreu idoso, mundialmente renomado, amado e admirado pelo povo russo.

LAURA RICHARDS [1850-1943] Americana de Boston, filha de família ilustre, a autora, que foi ativista social e escritora prolífica, recebeu o cobiçado Prêmio Pulitzer. Escreveu mais de noventa livros, dirigidos principalmente ao público infantil e juvenil, muitos dos quais de poesia de nonsense, que "parecem surgir de uma fonte de dentro de mim", nas suas próprias palavras.

LEWIS CARROLL [1832-98], pseudônimo literário de Charles Lutwidge Dogson. Matemático e diácono de igreja inglês, famoso no mundo inteiro por seus livros *Alice no país das maravilhas* e *Alice através do espelho*, que rapidamente se tornaram clássicos da literatura universal. Escreveu também poesia "leve", versos de nonsense e outros gêneros.

Mikail Yurievitch LIÊRMONTOV [1814-41] Poeta e escritor nascido em Moscou, na Rússia. Estudou na Universidade de Moscou e na Escola Militar de Cavalaria, em São Petersburgo. Em duas ocasiões, exilou-se no Cáucaso: por causa de um poema sobre a morte de Pushkin e em razão de um duelo com o filho do embaixador da França. Aos 27 anos, Liêrmontov participou de outro duelo, em que terminaria morto, em plena floração do seu imenso talento.

Samuil Iakovlévitch MARCHAK [1887-1964] Poeta e tradutor russo, nascido em Voronej, na família de um talentoso técnico e inventor que criou nos filhos o interesse pelo mundo e pelo ser humano. O jovem Samuil Marchak foi professor, e mais tarde, poeta produtivo, com centenas de poemas dirigidos a crianças e jovens.

OLIVER HERFORD [1863-1935] Escritor, ilustrador, desenhista, comediante e poeta inglês, Oliver Herford nasceu nos Estados Unidos, estudou em Paris e voltou para a sua terra natal, onde se tornou conhecido e querido. Era uma pessoa modesta e até tímida, que os amigos apelidavam de "Peter Pan" e "Ariel". Ele sabia ver o lado engraçado de tudo, com um senso de humor rápido e perspicaz.

Alexander Serguêievitch PUSHKIN [1799-1837] Poeta e romancista nascido em Moscou, saudado e famoso na Rússia como o maior poeta russo de todos os tempos. Por suas ideias liberais, chegou a ser exilado pelo governo imperial. Sua vasta obra se compõe de poesia lírica, contos e ensaios, que o tornaram amado e admirado por todo o sempre. Assim como Liêrmontov, Pushkin morreu num duelo, aos 38 anos, no auge de seu talento.

RICHARD LE GALLIENNE [1866-1947] Escritor e poeta inglês, pai da famosa escritora Eva Le Gallienne, foi jornalista em Londres e mais tarde viveu em Nova York, tendo publicado muitos livros, em prosa e em verso, que o tornaram conhecido e admirado.

ROBERT LOUIS STEVENSON [1850-94] Escritor e poeta escocês, célebre no mundo inteiro por romances de aventuras como A *ilha do tesouro* e R*aptado*, e também o clássico O *estranho caso de dr. Jekyll e mr.* H*yde* — O *médico e o monstro*.

Julian TUWIM [1894-1953] nasceu em Lodz, na Polônia. Escritor, jornalista, tradutor e poeta, é autor de vasta obra em vários campos da literatura. Politicamente ativo, lutou contra o fascismo. Foi obrigado a emigrar no começo da Segunda Guerra e passou por diversos países, inclusive o Brasil, até se estabelecer em Nova York. Em 1948, voltou à Polônia. Tuwim foi muito popular por seus poemas para crianças, espertos e bem-humorados.

WALT WHITMAN [1819-92] Grande poeta americano, nascido em Nova York. Foi professor e jornalista, e ficou famoso por sua originalíssima obra de "poesia livre", representada pelo livro *Folhas de relva*, que se tornou um clássico universal.

WERNER BERGENGRUEN [1892-1964] Filho de um médico alemão do Báltico, o autor nasceu em Riga, capital da Letônia. Estudou na Alemanha e foi voluntário na guerra. Foi poeta, tradutor e prosador fértil. Chegou a ganhar o Prêmio Wilhelm-Raabe e, mais tarde, o Prêmio Schiller.

WILLIAM OLDYS [1696-1761] Antiquário e bibliógrafo inglês. Grande parte de sua obra ficou, infelizmente, perdida. Mas o que sobrou dos seus trabalhos está preservado no British Museum, e constitui uma valiosa coleção de documentos.

Sobre os ilustradores

ADRIANA ALVES [São Paulo, 1977] é arquiteta formada pela Universidade de São Paulo (USP) e faz ilustrações para livros e revistas. Desde 1998, dedica-se à gravura nas suas mais diversas técnicas.

Osmar BENESON [São Paulo, 1964] estudou no Liceu de Artes e Ofícios de São Paulo. Trabalhou em teatro, em espetáculos em Portugal, nos Estados Unidos e na Finlândia. Faz pintura acrílica sobre tela, relevos de madeira, litogravura e desenho de superfície.

Gonzalo CÁRCAMO [Los Angeles, Chile, 1954] mudou-se para o Brasil em 1976. É ilustrador de livros infantis e de diversas publicações brasileiras e estrangeiras, além de fazer caricaturas e pintar aquarelas. Em 2000, lançou o livro infantil *Modelo vivo natureza morta* (Paulus), uma narrativa feita só com imagens.

CECILIA ESTEVES [São Paulo, 1965] é formada em arquitetura. Estudou animação na França e trabalhou com animação em estúdios na Europa. Recebeu menção honrosa da Fundação Nacional do Livro Infantil e Juvenil (FNLIJ) por A *pedra do meio-dia ou Artur e Isadora* (Editora 34, 1998), de Braulio Tavares.

CIÇA FITTIPALDI [São Paulo, 1952] é ilustradora desde 1973. Já viajou um bocado pelo interior do Brasil. Por gostar muito de histórias indígenas, afro-brasileiras e contos, causos, poemas e personagens da cultura popular, Ciça escreveu e ilustrou uma série de livros baseados nessas narrativas. Entre os prêmios que recebeu, está o Jabuti de ilustração em 1988 e 1990.

CRIS BURGER [Porto Alegre, 1948] é ilustradora e designer gráfica. Desde 1975, colabora com editoras de São Paulo. Publicou nas revistas *Gráfica* (1985), *Idea* (Japão, 1989), *Novum* (Alemanha, 1990) e *Abigraf* (Brasil, 1990-2). Colaborou em publicações brasileiras e estrangeiras. Junto com Claudio Ferlauto, dirige a Qu4tro Arquitetos.

FLORENCE BRETON [Bordeaux, França, 1960] vive em São Paulo. Colorista de história em quadrinhos, publicações infantis e desenhos animados, já colaborou em mais de quarenta álbuns, como *A deusa*, de Moebius (Prêmio RTL de História em Quadrinhos). Florence escreveu e ilustrou *Tatus tranquilos* (Companhia das Letrinhas, 2001) e *O cipó branco* (Companhia das Letrinhas, 2006).

GERALDO VALÉRIO [Divinópolis, MG, 1970] é ilustrador desde 1995 e mestre em artes pela New York University, nos Estados Unidos. Trabalha para editoras do Brasil, dos Estados Unidos e de Portugal. Participou da Mostra de Ilustração Portuguesa 2002, entre outros eventos internacionais.

GRAÇA LIMA é carioca do Grajaú. Já ilustrou mais de cinquenta livros e ganhou prêmios no Brasil e no exterior. É amiga e sócia de ROGER MELLO e MARIANA MASSARANI (com quem divide uma paixão especial por jacarés), e lançou, com eles, o livro *Vizinho, vizinha* (Companhia das Letrinhas, 2002).

HUMBERTO GUIMARÃES [Sabará, MG, 1947] Desenhista e pintor, dá aulas de desenho na Escola Guignard Belo Horizonte. É ilustrador desde 1974. Em 2000, recebeu o selo Altamente Recomendável da FNLIJ/Prêmio Ofélia Fontes. Faz mestrado em desenho na UFMG, em Belo Horizonte.

IVAN ZIGG [Rio de Janeiro, 1959] Artista múltiplo, é compositor e cantor, trabalhou em teatro e já ilustrou quase noventa livros infantis, como *O menino que chovia*, de Cláudio Thebas (Companhia das Letrinhas, 2002). Em livros como *Pipoca e Guaraná* (Studio Nobel, 1995) e *Quando os tam-tans fazem tum-tum* (Paulinas, 1999), Ivan inventou histórias contadas só com imagens.

LAURABEATRIZ é ilustradora e artista plástica. Já ilustrou diversos livros para crianças, publicados pelas editoras Companhia das Letrinhas, Ática, Scipione, FTD e Cosac & Naify, entre outras. É carioca, tem quatro filhos, mora em São Paulo há bastante tempo e tem três cachorros muito simpáticos: o Picolino, a Graúna e a Gaivota.

LUANA GEIGER é formada em arquitetura pela USP. Atuou em diversas atividades artísticas, principalmente cenografia. Tornou-se ilustradora colaborando com revistas estudantis (*Caramelo*, *Trazo*, *Rapsódia*) e, mais tarde, com editoras de livros. Em 2002, participou do catálogo e da exposicão *Images* 26 da Association of Illustrators (AOI). Mora em Berlim.

LUIZ MAIA [Sabará, MG, 1954] Ilustrador e artista plástico, participou de salões de artes, ilustrou revistas literárias e jornais, e trabalhou com teatro em Belo Horizonte. Entre os prêmios que recebeu, está o Jabuti 1991 e o Selo White Ravens (Biblioteca de Munique) por *Poemas para brincar* (Ática, 1999), de José Paulo Paes. Mora em São Paulo.

LULI [São Paulo, 1965] era professora de português e de literatura até que resolveu mudar tudo e virar ilustradora. Seu trabalho pode ser visto em revistas, livros para crianças e adultos e na *Folha de S.Paulo*, onde publica uma história em quadrinhos chamada *Clara* no suplemento *Folhateen*. Seu nome completo é Luciana Artacho Penna.

MARCELO GOMES [Barra Mansa, RJ, 1962] Desde 1968 mora em São Paulo, onde trabalhou em agências de propaganda (de 1984 a 1995) até decidir se dedicar à carreira de ilustrador.

MARIA EUGÊNIA [São Paulo, 1963] faz ilustrações de livros, revistas e jornais. Já ilustrou mais de cinquenta livros para crianças e adultos. Para a Companhia das Letrinhas ilustrou a coleção Memória e História, O *livro dos medos*, de vários autores, e *Divinas Aventuras*, de Heloisa Prieto, entre outros trabalhos. Já participou de diversas feiras e exposições internacionais.

MARIANA MASSARANI [Rio de Janeiro, 1963] nasceu de mãe piauiense e pai italiano. Já ilustrou muitos livros, de autores variados — e até um dela mesma, *Victor e o jacaré* (Studio Nobel, 1993). Em 2002, lançou *Vizinho, vizinha* pela Companhia das Letrinhas, em parceria com os amigos e sócios GRAÇA LIMA e ROGER MELLO.

Gilberto MIADAIRA, formado em arquitetura, é ilustrador e artista plástico. Desenhou para diversas revistas e jornais e já ilustrou muitos livros infantis e infantojuvenis. Ganhou alguns Prêmios Abril de Jornalismo e participou de exposições coletivas de ilustração e artes plásticas.

MYRNA MARACAJÁ nasceu na zona da mata de Pernambuco, em 1967. Colabora no suplemento *Folhinha*, da *Folha de* S.*Paulo*, e já ilustrou diversos livros infantis, como *Minhas férias* (Companhia das Letrinhas, 1999), de Marcelo Coelho. Maracajá é também artista visual, ou seja, faz projetos para agências de propaganda, shoppings e centros culturais.

ODILON MORAES [São Paulo 1966]. Formado em arquitetura, acabou se decidindo pela ilustração de livros infantis. Já ilustrou mais de cinquenta livros. Em 2001, traduziu *Tatus tranquilos*, de FLORENCE BRETON. A *princesinha medrosa* (Companhia das Letrinhas, 2002) é o primeiro livro que Odilon escreveu e ilustrou.

OPENTHEDOOR é um estúdio de ilustração, animação e design de Curitiba. Formado pelo sócios Luciano Lagares, José Aguiar e Líber Paz em março de 2002, tem como clientes as editoras Companhia das Letras, Ática, Abril e empresas como GVT e TIM, entre outras.

RODRIGO Carneiro LEÃO Cavalcanti [Rio Grande, RS, 1972] mudou-se para Sampa no colo dos pais. Virou ilustrador freelancer ainda moleque. Entre 1991 e 2000, integrou um estúdio de ilustradores. Saiu de lá para realizar projetos que estavam na gaveta. Faz ilustrações e é designer de objetos na galeria Mutem, que abriu com a designer Mirla Fernandes.

ROGER MELLO [Brasília, 1965] é ilustrador, escritor e dramaturgo. Já recebeu muitos prêmios importantes no Brasil e no exterior. Pela Companhia das Letrinhas, lançou *Todo cuidado é pouco* e *Meninos do mangue*, ambos premiados, além de *Em cima da hora*, *João por um fio*, *Zubair e os labirintos* e *Vizinho, vizinha*, feito em parceria com MARIANA MASSARANI e GRAÇA LIMA, suas amigas e sócias.

SPACCA [São Paulo, 1964] é ilustrador e cartunista. Trabalha com publicidade e comunicação empresarial, além de ilustrar livros didáticos e infantis, como *Vice-versa ao contrário*, de Flavio de Souza, *O Mário que não era de Andrade*, de Luciana Sandroni e *O jogo da parlenda*, de Heloisa Prieto, todos da Companhia das Letrinhas. Spacca escreveu e ilustrou a história em quadrinhos *Santô e os pais da aviação*, *Debret em viagem histórica e quadrinhos ao Brasil* e *D. João carioca*, em coautoria com Lilia Moritz Schwarcz.

Índice de poemas e primeiros versos

1ª EDIÇÃO [2003] 30 reimpressões

Esta obra foi composta em Novarese Book e impressa
em ofsete pela Gráfica Bartira sobre papel Couché Design Matte
da Suzano S.A. para a Editora Schwarcz em abril de 2025

MISTO
Papel | Apoiando
o manejo florestal
responsável
FSC® C105484

A marca FSC® é a garantia de que a madeira utilizada na fabricação do papel deste livro provém de florestas que foram gerenciadas de maneira ambientalmente correta, socialmente justa e economicamente viável, além de outras fontes de origem controlada.